Marie Potvin

Sacripain
le lutin

S0-BVT-529

Gouvernement du Québec – Programme de crédit d'impôt
pour l'édition de livres – Gestion Sodec

info@lesmalins.ca

Éditeur: Marc-André Audet
Directeur littéraire: Pierre-Yves Villeneuve
Auteure: Marie Potvin
Directrice artistique: Shirley de Susini
Mise en page: Nicolas Raymond
Illustrateur: Sylvain Lavoie
Correcteurs: Jean Boilard, Corinne de Vailly et Fanny Fennec

Dépôt légal – Bibliothèque et Archives nationales du Québec, 2015
Dépôt légal – Bibliothèque et Archives Canada, 2015

ISBN : 978-2-89657-334-9

Imprimé au Canada

Nous reconnaissons l'aide financière du gouvernement du Canada
par l'entremise du Fonds du livre du Canada pour nos activités
d'édition.

Les éditions Les Malins inc.
Montréal, QC

Sacripain

le lutin

Table des matières:

Enfin décembre!................7

La nouvelle consigne.....33

À la douche!...................59

Foie de veau
et boudin noir..................75

Le crayon.......................95

Attaque à la
moustache 115

Le petit sacripant 135

Des céréales santé......155

Sacripain Latreille.......181

Farfouille est
un génie!..........................197

Voyage au
pôle Nord...........................215

Mission délicate............257

Sssshhhhh! Affaire
classée!..............................279

Le pardon du
père Noël..........................305

La surprise.....................327

Chapitre 1
Enfin décembre!

Sacripain atterrit dans la gouttière glacée de la maison de Nathan et Delphine Langevin. Il est exténué! En ce 1er décembre, jour du retour des lutins évaluateurs de comportement, il est en retard. Il devait arriver la veille.

Ce qu'il peut être distrait cette année! En partant du pôle Nord, il a pris la mauvaise direction. La maison des Langevin n'est pourtant

pas si loin. D'habitude,
grâce à la poudre
magique que le père
Noël lui donne pour le
voyage, il fait le trajet
en moins d'une heure.
Mais ce jour-là,
il a tourné à droite
plutôt qu'à gauche. Il a
dû contourner touuuute
la planète pour enfin

arriver à Piedmont, sur le chemin du Vallon. Quelle étourderie !

Il tâte son blouson de feutre vert. Il y a tellement de poches qu'il ne sait plus dans laquelle il doit chercher. A-t-il en plus perdu ses dossiers lors de son long périple autour du monde ? Cette feuille est d'une importance capitale. Elle lui a été remise par le Grand Patron en personne : le père Noël. S'il fallait qu'il l'ait perdue, il serait bien malheureux. Il s'en mordrait les doigts. Il perdrait sa

position privilégiée
de lutin!

De son emplacement
sur le toit de la maison
bleue, il peut entendre
ce qui se passe à
l'intérieur. Ça, c'est la
voix de Delphine, haute
et claire. Oh, elle semble
mécontente!

– Nathan! Ça fait quatre mille fois que maman te dit de te brosser les dents.

Sacripain commence à prendre des notes en décembre, ne l'oublie pas! De toute façon, je m'en fiche! Si tu ne le fais pas, c'est toi qui n'auras pas de beaux cadeaux à Noël.

Le lutin tend l'oreille; il espère entendre la réponse de Nathan, mais ne peut percevoir que des marmonnements. Ah, s'il n'avait pas perdu ses fioles de poudre magique au-dessus de l'Antarctique ; il pourrait

se saupoudrer un peu

les oreilles pour les

rendre plus puissantes !

Pfff, tout ça, à cause

d'une collision en plein

vol avec Hurlupain, un

lutin un peu fou qui se

pense le roi du pôle Sud.

Sacripain n'a pas le choix. Malgré l'épaisse couche de neige, il doit s'accrocher par les pieds à la gouttière pour regarder par la fenêtre. Heureusement, c'est à ça que servent ses mocassins à bouts recourbés. Sacripain prend soin d'enlever les grelots pour ne pas faire de bruit. Il espère apercevoir Farfouille, son ami lutin, qu'il ne croise que durant le mois de décembre.

Farfouille est l'un de ces «pauvres» lutins qui se sont laissé capturer pour mieux surveiller les enfants. C'est un grand sacrifice pour eux. Ils doivent se figer sous forme de poupée dès que le regard d'un humain se pose sur eux. Ils se font souvent ranger dans un coffre le lendemain des fêtes, jusqu'à l'année suivante. Sacripain, qui passe le reste de l'année au pôle

Nord à jouer aux cartes

avec les autres lutins,

trouve bien triste que

Farfouille doive hiberner

pendant onze

longs mois.

– Cher Farfouille..., où
es-tu donc ?

murmure-t-il, impatient
de retrouver son ami.

Dans la maison,
les voix continuent de
s'exclamer. Sacripain
est content, la fébrilité
de Noël commence à se
faire sentir.

– Allez, Nathan !
Écoute ta sœur, elle a

raison, marmonne-t-il,
la tête à l'envers pour
regarder à l'intérieur de
la maison.

Mais où est donc
Farfouille ? Sacripain
plisse les yeux pour
mieux voir à travers
le rideau de dentelle.
Encore une fois, il s'en

veut d'avoir échappé sa

poudre magique.

Il aurait pu améliorer

sa vision.

Delphine n'a pas

tort, se dit Sacripain,

Nathan devrait aller

se brosser les dents

sans tarder. Le lutin

sort la liste que le père

Noël lui a remise. L'an

dernier, Nathan n'a

pas eu beaucoup de

cadeaux en provenance

du pôle Nord. Il n'a pas

été méchant, mais il a

eu du mal à suivre les

consignes. Sacripain

a eu beau laisser de

petits messages pour

lui partout dans la

maison, rien n'a semblé convaincre Nathan.

Pour Delphine, ce fut tout le contraire : la fillette a reçu l'un des plus beaux cadeaux de son village. Cette année, le père Noël souhaite un changement. C'est pourquoi il a confié à Sacripain une mission toute spéciale.

Cher **Sacripain**,

Je sais à quel point tu aimes la famille Langevin. Je te confie donc une mission de la plus haute importance, cette année. Il serait dommage qu'une fois de plus, le petit Nathan ne réussisse pas aussi bien que sa jumelle Delphine. Sa sœur aussi a besoin d'un plus grand défi. Je constate qu'elle a tendance à ne penser qu'à elle-même.

Voici donc ma nouvelle consigne :

Le frère et la sœur doivent faire un travail d'équipe. C'est-à-dire que, si l'un ne fait pas d'effort, l'autre devra l'encourager. Leurs résultats seront considérés ensemble.

Tu connais déjà la liste des consignes :

✓ Se brosser les dents à la demande des parents sans rouspéter ;

✓ Faire son lit tous les matins ;

✓ Bien manger aux repas ;

✓ Aider à mettre et débarrasser la table ;

✓ Faire ses devoirs en rentrant de l'école ;

✓ Se coucher à l'heure déterminée par les parents ;

✓ Être poli en tout temps ;

✓ Ne pas crier ;

✓ Faire toutes les corvées demandées par les parents.

À toi de faire les calculs et de me dire s'ils méritent de beaux cadeaux le soir de Noël.

Ton patron,
Père Noël

27

Sacripain replie la feuille en soupirant. Voilà un bien grand défi. Il se redresse sur la gouttière et pose les mains sur ses hanches. À cet instant, un flocon de neige atterrit sur son nez retroussé. Sacripain ne peut s'empêcher d'éternuer.

Un lutin allergique aux flocons, a-t-on déjà vu chose pareille ? Tirant un mouchoir de soie d'une poche cachée dans une autre poche, Sacripain s'essuie le visage.

« Bon. Quel est le plan ? » se demande-t-il.

Eh bien, avant tout,
il faut faire savoir à
Delphine et Nathan
qu'ils devront travailler
en équipe cette année.

Ensuite ? Retrouver
Farfouille. Ensemble,
ils pourront manigancer
leurs nouveaux tours
dans la maison des
Langevin. Les lutins

n'ont pas que des notes

à prendre, ils ont aussi

le droit de s'amuser

un peu !

Sacripain décide

de ne pas perdre une

seule seconde. Il tire

un carnet d'une de ses

nombreuses poches,

griffonne rapidement

un message destiné aux

jumeaux sur une des

pages blanches et court

glisser celle-ci sous

la porte.

Chapitre 2

La nouvelle consigne

Nathan Langevin

fixe son assiette. Il n'a

presque pas mangé,

mais n'a plus faim.

Il soupire. Pourquoi

le temps passe-

t-il plus lentement en

décembre ? On croirait que les journées sont plus longues, que les minutes s'égrènent à un rythme de tortue. Même ses repas deviennent plus difficiles à avaler.

– Nathan ! Ça fait quatre mille fois que maman te dit de finir ton assiette! Tu sais que Sacripain commence à prendre des notes en décembre. Si tu ne le fais pas, c'est toi qui seras privé de cadeaux à Noël. Même si tu n'en parles pas, on sait tous à quel point tu espères avoir des jambières de

35

gardien de but

de hockey.

Nathan lève les yeux.

Delphine se tient devant

lui, les mains sur les

hanches, les sourcils

froncés. Sa jumelle

prend très au sérieux

la série de messages

de Sacripain. Elle

les a même classés
par date et en ordre
d'importance.

Au grand malheur de
Nathan, quand arrive
décembre, Delphine
devient impossible.
Cette année, elle
a décidé qu'elle
avait absolument

besoin d'une tablette électronique et elle est prête à tout pour l'obtenir.

« C'est une question de vie ou de mort ! Mais je ne peux pas te dire pourquoi », annonce-t-elle d'un ton grave.

Nathan ne comprend pas, Delphine n'aime

même pas les jeux
vidéo et aucune de ses
copines n'a de tablette
électronique.
Que va-t-elle en
faire ? Il faut
dire qu'avec Delphine,
il ne faut pas
toujours essayer
de comprendre...

Même s'il aime bien

sa sœur malgré son

caractère bouillant,

il décide tout de suite

de se tenir loin d'elle

jusqu'à Noël. Elle

lui cassera les oreilles

avec ses bonnes actions

afin de recevoir le

cadeau convoité.

– Je gagnerai des
points en faisant mon
lit, dit-il, pour se
débarrasser d'elle.

Sa sœur éclate de rire.

– Ben oui, fais donc
ça! Tu n'auras qu'un
petit rien tout neuf
en cadeau.

– Tu exagères !
rétorque-t-il.

Assis à la table de
la cuisine devant son
assiette de spaghettis,
alors que Delphine a
déjà rangé la sienne
dans le lave-vaisselle,
Nathan essaie d'avaler
une bouchée. Autour de

lui, sa sœur gambade en

chantonnant:

– Nathan aura un beau

petit rien tout neuf!

Tralalèreeee!

Soudain, un bruit

attire leur attention. Des

pas sur le perron. Déjà

à l'affût du moindre

signe de la présence de

Sacripain, Delphine
s'élance vers la porte
d'entrée. Nathan
laisse sa sœur s'énerver
et prend, entre deux
soupirs, une autre
bouchée de pâtes.
Il va au moins finir
son souper, ce sera
déjà quelques points
d'amassés, se dit-il.

Delphine revient dans la salle à manger en sautillant. Ses joues sont rouges, et ses yeux ronds comme des billes.

– C'est un messaaaage de Sacripain! C'est un messaaaaage de Sacripain! s'écrie-

t-elle d'une voix
stridente.

Nathan se cache les
oreilles de ses mains,
tellement sa sœur
crie fort.

– Calme-toi,
Delphine... C'est peut-
être juste un dépliant
publicitaire.

Delphine ne l'écoute plus, elle est trop excitée. De ses doigts tremblants, elle déplie le papier à la hâte.

– Ooooooh!
C'est vraiment de Sacripain! Ça veut dire qu'il est revenu du pôle Nord!

Excité, lui aussi,

Nathan se lève et tente

d'arracher le papier des

mains de sa sœur.

– Hé! Bas les pattes!

Tu n'avais qu'à finir ton

assiette! le gronde

Delphine.

– OK, mais dépêche-
toi de lire. J'ai hâte
de savoir.

Delphine, du haut de
ses huit ans, sait très
bien lire et peut même
le faire avec une rapidité
impressionnante. Elle
dévore déjà des romans,
alors que tout ce qui

intéresse Nathan,

c'est le score final

de la dernière partie

de hockey. La fillette

lève la feuille devant

son visage. D'une voix

sérieuse et solennelle,

elle dévoile le contenu

du message :

– Chers Delphine et Nathan, commence-t-elle. De vaillants enfants, vous êtes ! Cette année, un nouveau défi, à vous, se présente. Ensemble, vous accomplirez vos tâches, ensemble, vous serez récompensés. À parts égales, les cadeaux mérités, vous

partagerez! La liste

des consignes, au

dos de cette feuille,

vous trouverez. Signé,

Sacripain.

Plus la lecture de

Delphine avance, plus la

fillette pâlit. Les lèvres

pincées, elle froisse la

feuille avant de la lancer sur la table. Nathan, incrédule devant cette nouvelle consigne, saisit la boule pour la déplier et la lire. Delphine ne s'est pas trompée. Avec ses phrases à l'envers, Sacripain dit bel et bien que sa sœur et lui doivent faire équipe.

À son tour, il froisse la feuille, découragé.

– Tu devrais être content ! s'exclame Delphine. Tu vas profiter de mes efforts !

Nathan lève les yeux vers sa sœur.

– C'est bien ma chance…, dit-il, déjà

inquiet de la tournure

prochaine des

événements.

Quand Delphine

a décidé quelque

chose, elle devient

très... intense !

***

Sur le comptoir de la

cuisine, bien que figé

en poupée de chiffon,

Farfouille peut voir et

entendre tout ce qui

se passe dans la salle

à manger. Si Delphine

ne regardait pas tout

droit dans sa direction,

Farfouille sourirait. Voilà

une situation qui promet

d'être bien intéressante.

Les jumeaux qui

devront faire preuve de

discipline, ensemble.

Le père Noël a le sens

de l'humour. Ce sera

chouette à observer!

Farfouille vient

d'être libéré du coffre

des Langevin, et il est

heureux comme un roi.

Son ami Sacripain est

enfin arrivé à Piedmont.

Il l'a attendu toute la

journée d'hier. Pourtant,

ce n'est pas dans ses

habitudes d'être en

retard. Qu'a-t-il donc

fabriqué durant toutes

ces longues heures?

Chapitre 3
À la douche!

Quand Nathan termine

enfin ses spaghettis,

l'heure du coucher

est presque arrivée.

Delphine, qui s'est ruée

dans les escaliers pour

se préparer, redescend les marches quatre à quatre.

– Le brossage de dents est sur la liste, Nath ! Si on le fait avant que maman le dise, c'est plus de points !

Nathan roule les yeux vers le plafond.

Il gagerait tous ses desserts de la semaine que Delphine a déjà les dents propres, qu'elle a passé la soie dentaire et qu'elle s'est même gargarisée avec du rince-bouche. C'est comme ça chaque mois de décembre... Et, par malheur, cette année, elle le suivra à la trace.

Ça ne fait pas cinq

minutes qu'il a fini de

manger qu'elle est

sur son dos :

– Ah, non ! Tu ne vas

pas recommencer. Pas

question de perdre

des points à cause de

ta paresse ! gronde

Delphine en saisissant

la brosse à dents bleue.

– Hé, c'est la mienne!

Delphine saisit le tube

de dentifrice et en sort

un peu de crème bleue

fluorescente.

– Justement! Ouvre

la bouche!

– QUOI ? T'ES FOLLE ?
Tu ne vas pas me
nettoyer les dents,
tout de même !

– Puisque c'est
la seule façon, je
n'hésiterai pas à
utiliser la force,
dit-elle, le menaçant
avec l'instrument.

– OK! OK! Ça va! Je vais le faire!

Sans ajouter un mot, Nathan arrache la brosse à dents des mains de sa sœur. Décidément, Delphine est sérieuse. Elle ne le laissera pas tranquille jusqu'à ce que le dernier

de ses cadeaux
soit déballé.

– As-tu pris ta
douche ? demande-t-
elle dès qu'il a fini de se
rincer la bouche.

Alors que sa sœur
s'approche pour tirer sur
son chandail, Nathan
est terrifié.

– Hé, wô! Là, tu vas trop loin! Je suis parfaitement capable...

Elle éclate de rire. Elle le taquinait, évidemment.

– Alors, qu'est-ce que tu attends? demande-t-elle en riant.

– Que tu sortes.

– C'est une bonne
raison, dit-elle en
tournant les talons.

Nathan secoue la tête,
soulagé que sa sœur
soit partie. Il ferme la
porte, ouvre le robinet
de la douche et enfile
rapidement son pyjama.
Il laisse couler l'eau

plusieurs minutes sans daigner mouiller le bout de son gros orteil.

***

Juché sur la lucarne de la fenêtre de la salle de bains, Sacripain peut entendre la conversation des jumeaux par le conduit

du ventilateur. Ces
enfants sont hilarants.
Cette Delphine, c'est
tout un spécimen ! Il n'a
aucun doute qu'il pourra
compter sur elle pour
aider son frère à suivre
les consignes.

Delphine quitte la
pièce, et le lutin voit

que Nathan fait couler

la douche. Comment se

fait-il qu'il soit déjà en

pyjama ? Pourquoi n'est-

il pas passé sous l'eau ?

Sacripain connaît

bien Nathan. Avec lui,

il faut plus de rigueur.

Les parents auraient

dû veiller à ce que leur

fils suive les règles. Ce n'est pas bien grave... Sacripain, lui, a bien vu son petit manège. Ce sera noté dans son calepin. Sacripain a tout de même un peu de peine pour Delphine. Elle fait de si grands efforts pour être sage.

Il devra consulter
Farfouille. Son ami
a dû en observer pas
mal durant la journée
depuis son poste sur
le comptoir.

chapitre 4

Foie de veau et boudin noir

Il est 6 h du matin.

Dehors, le soleil dort

toujours. Depuis le

début de la semaine,

Nathan a désactivé son

réveille-matin. À quoi

bon subir le tintamarre

de l'alarme lorsqu'on a une sœur qui n'a qu'une seule idée en tête ?

Delphine est tantôt comme un ange, tantôt plus sévère qu'un général d'armée. Depuis quelques jours, Nathan ouvre les yeux sur un magnifique chocolat chaud rempli de

guimauves. À l'évidence,

sa sœur

veut se faire une réserve

de points magiques à

ses dépens. Ira-t-il s'en

plaindre ? Bien sûr que

non !

Malheureusement,

toute bonne chose a une

fin et toute médaille

a un revers. Nathan

n'a jamais le temps de

déguster son chocolat

chaud. Aussitôt la

boisson déposée sur

sa table de chevet,

Delphine inscrit un

crochet dans son cahier

bleu. Il ne faut pas

plus de quatre ou cinq

secondes pour qu'elle

le secoue de toutes

ses forces.

– Allez, espèce de

paresseux ! Il faut te

lever, t'habiller, manger

et te brosser les dents !

Je t'avise tout de suite

que papa a fait des

œufs à la coque. Je

sais que tu détestes ça, mais t'as pas le droit de dire un seul mot, t'as compris ? Tu avales tout rond et tu dis merci !

Nathan sent qu'il va devenir vert. L'odeur des œufs est suffisante pour lui donner la nausée.

– Je vais plutôt faire
mon lit...

– Laisse faire! Ce n'est
pas payant!

– Je ne crois pas que
Sacripain exige que
je mange des œufs.

– Il exige qu'on soit
irréprochables. Et,
en passant,

j'ai dit à maman qu'on accepterait de manger du foie de veau ce soir... et du boudin !

Nathan sent que son cœur ne tiendra pas le coup. Sa sœur est complètement FOLLE !

– Pourquoi t'as fait ça ? Tu détestes le

boudin et le foie autant

que moi.

Delphine se contente

de sourire, tandis que

Nathan écrase son

oreiller sur son visage.

– Laisse-moi deviner,

dit-il. C'est pour gagner

des points magiques ?

– T'as tout compris,

le génie.

Découragé, Nathan

se terre sous ses

couvertures.

– Réveille-moi au jour

de l'An.

***

Au premier signe de

sommeil des jumeaux,

Sacripain peut

finalement rejoindre

Farfouille sur le

comptoir de la cuisine.

Ce dernier doit être

distrait, puisqu'il est

toujours figé en poupée.

– Allez ! Défiiiiige !
s'exclame Sacripain en
tapotant les joues
du lutin.

N'obtenant pas
de mouvement de
la part de son ami,
Sacripain, impatient,
le fait tomber sur les
tuiles du plancher,

pour ensuite le

tirer dans le garde-

manger. Par magie,

Farfouille se retrouve

entouré d'étoiles

microscopiques. Très

vite, ses bras, ses

jambes et son visage

changent de forme et

s'animent. Le sourire de

Farfouille met un baume

au cœur de Sacripain.
C'est toujours un
soulagement pour lui
de retrouver son ami.

Après avoir échangé
une multitude de
poignées de main
compliquées, Sacripain
et Farfouille s'installent
derrière la commode

dans la chambre de
Nathan, comme ils le
font toujours. Depuis
leur cachette, ils
peuvent discuter des

actions des enfants sans
être importunés.

– Delphine croit qu'en
inventant des défis,
elle gagnera davantage

de points, murmure
Sacripain.

– La pauvre petite n'a
pas compris l'esprit de
Noël, dit Farfouille. On
lui donne une leçon ?
Sacripain secoue
la tête.

– Non, je pense que
c'est de ma faute. Mon

message l'invite à agir
ainsi, dit-il en repensant
au foie de veau et au
boudin. Et c'est plutôt
Nathan qui m'inquiète.
Il ne semble pas trop
empressé à me
faire plaisir.

– Laissons les jours
passer, on verra bien ce

qu'il fera. En attendant,
as-tu une idée d'une
plaisanterie qu'on
pourrait leur faire
cette nuit ?

***

Le lendemain matin,
Nathan et Delphine
découvrent, au réveil,
une guirlande de

chandails noués les
uns aux autres par les
manches. Farfouille
est figé en poupée
de chiffon, accroché
entre deux nœuds et
suspendu au-dessus
de l'escalier.

Chapitre 5
Le crayon

Ce matin, Nathan
et Delphine prennent
l'autobus comme
d'habitude. Au coin de
la rue, d'autres enfants
font la file pour monter
dans le véhicule jaune.

Le grand Paul Poitras,
un garçon de sixième
année, arrive à la toute
dernière seconde. Les
élèves sont déjà assis.
Sans se gêner, Paul
pousse le petit Félix.

– Ôte-toi de là, petit
morveux ! C'est
ma place.

Bien qu'il ait neuf ans et qu'il soit en quatrième année, Félix Latendresse est très timide. En classe, il a du mal à lire à voix haute et, malgré ses lunettes aux verres très épais, il doit toujours être assis à l'avant. Un peu maigre sans être de petite taille pour autant,

le jeune garçon se laisse

souvent impressionner.

Paul Poitras n'est pas le

seul à s'en prendre à lui.

Heureusement, Delphine

l'aide en classe à la

demande de madame

Sophie, leur professeur.

D'une voix aiguë et apeurée, le pauvre Félix tente de négocier avec Paul pour avoir la paix.

– Mais je dois garder une place pour mon ami, je lui ai promis et...

Paul n'attend pas la fin de sa phrase et lui arrache sa tuque, qu'il

brandit dans les airs
en riant.

– Une tuque des
Canadiens ! T'as jamais
joué au hockey de ta
vie ! T'as pas le droit de
porter des vêtements
des Canadiens si tu ne
sais pas patiner ! Toi, tu
peux te contenter des

chandails de Caillou !

Ha ! Ha ! Ha !

Nathan observe la

scène en grinçant des

dents. Il faut donner

une leçon à Paul, mais

comment ? Nathan n'a

que huit ans, il est en

deuxième année, et Paul

a quatre ans de plus que

101

lui. Nathan regarde à gauche et à droite dans l'espoir de trouver un peu de renfort parmi les autres élèves. Sa sœur Delphine est assise confortablement et se contente d'admirer le paysage qui défile sous ses yeux. Elle a toujours dit: «Paul est un idiot, il faut l'ignorer.» Pas

de danger qu'elle se

risque à perdre des

points magiques en se

mouillant, celle-là!

Devant Nathan, Paul

fait tourner la tuque au

bout de ses doigts, hors

de portée du pauvre

Félix, qui semble sur le

point de pleurer. Autour

d'eux, certains enfants

rigolent, d'autres

observent la scène,

impuissants devant la

taille de leur camarade

plus âgé. La plupart

font comme Delphine

et regardent ailleurs

sans broncher.

C'est alors que
Nathan explose et
décide de prendre les
choses en mains. Paul
ne s'attendra pas à ce

qu'un petit de deuxième
année le défie. Il a
l'effet de surprise de son
côté. Il a aussi la chance
que Paul lui tourne le

dos ; il ne le verra
pas venir.

***

Caché sous le siège du
chauffeur, Sacripain
assiste à toute la scène.
Il note que Delphine se
tient tranquille. Elle est
toujours à sa place et ne
cause pas de problèmes.

Puis il cherche Nathan
des yeux, mais celui-ci
n'est pas à sa place.

Zut ! Le bus roule
dans un nid de poule

et Sacripain se cogne
la tête sous le banc !
Ouch ! Vite, un peu de
poudre magique pour le
soulager ! Quelle chance

que Farfouille en ait une

réserve et qu'il ait pu

lui en donner quelques

poignées. Ça lui sera

très utile.

Sacripain se désole

que les lutins ressentent

la douleur. Ne sont-ils

pas des êtres magiques ?

Il avait d'ailleurs posé

la question au Grand

Patron. Celui-ci avait

frotté sa barbe blanche

et avait ri doucement.

– Ho! Ho! Ho! Mais

mon cher Sacripain, si

tu ne peux pas ressentir

la douleur, alors

comment percevras-

tu les choses plus

agréables, comme la

douceur du sucre sur ta

langue ou le plaisir de

donner des cadeaux à

Noël?

Chaque fois que

Sacripain vole un

bout de chocolat et le

déguste avec appétit et

bonheur, il se souvient

des sages paroles du

père Noël. Le lutin

secoue la tête, il doit

sortir de sa rêverie : il a

un travail à accomplir.

Nathan avance dans

l'allée de l'autobus. Oh,

ce garçon n'écoute pas

du tout les consignes

du père Noël. Va-t-il

vraiment s'en prendre
à plus grand que lui ?
Sacripain cache ses
yeux de ses petites
mains. Il a peur de
voir ce qui va arriver.
Le garçon semble
se prendre pour un
superhéros. Il faut
l'aider ! Le lutin tâte ses
multiples poches.

Ah, voilà ! Allez hop !
Un peu de poudre
magique.

Sacripain se
concentre pour bien
viser la main
de Nathan...

Chapitre 6
Attaque à la moustache

Nathan rentre à la maison, ce soir-là, avec un billet à faire signer par ses parents.

Delphine est verte de colère. Son frère vient

de saccager ses chances

de recevoir une tablette

électronique à Noël.

C'est sûr que Sacripain

sait ce qui s'est produit

ce matin.

   – Mon frère, c'est

le roi des niaiseux!

s'exclame-t-elle en

déposant son sac

d'école sur la table.

Sans attendre, elle en

sort ses classeurs. Pour

obtenir plus de points

117

magiques, les devoirs

doivent être faits tout

de suite, dès qu'elle

arrive de l'école. Selon

elle, laisser traîner les

travaux scolaires et les leçons, c'est passible de pertes de points.

– Hé, Félix se faisait achaler. C'est Paul, le grand niaiseux, pas moi!

– Tu n'avais pas besoin de t'en mêler! Il fallait aviser monsieur Latreille!

– Tu défendais un autre enfant? demande leur père, billet à la main.

– Oui! Tu sais comment Paul Poitras peut être méchant. Il terrorisait Félix et personne ne disait un mot! Je ne pouvais pas

le laisser faire.

– Dans ce cas, ta sœur

a raison, intervient leur

mère. Il fallait avertir

un adulte.

– C'est ça! approuve

Delphine, heureuse

qu'on lui donne raison.

Tu n'avais pas à lui sauter dessus !

– Je ne lui ai pas « sauté dessus », se défend Nathan. Il fallait bien que quelqu'un lui donne une leçon. Monsieur Latreille est bien trop mou pour intervenir.

Il aurait pu, en effet,

alerter monsieur

Latreille, le chauffeur.

Mais ce dernier n'aime

pas intervenir auprès les

élèves. Pour qu'il daigne

se lever de son siège,

ça prend une

grosse bagarre.

D'ailleurs, toute

la journée, Nathan

s'est demandé d'où

pouvait bien provenir le

marqueur noir. Il ne se

souvient pas de l'avoir

sorti de son sac, ni

même d'en avoir jamais

eu un dans ses poches.

Il a bien tenté de se

rappeler comment le

crayon s'était retrouvé entre ses doigts et comment il avait fait pour dessiner d'aussi belles moustaches sur le visage de Paul. Il y a un vide dans ses souvenirs.

***

Caché dans le garde-manger, Sacripain

observe la scène dans la cuisine. Delphine est en colère, mais s'applique tout de même à ses devoirs. Sacripain en prend note dans son carnet. Faire ses exercices sans tarder et sans avoir besoin de se le faire rappeler par ses parents, c'est au moins

le double des points
magiques.

Nathan, pour sa part,
n'a pas touché à son sac
d'école. Il l'a laissé dans
l'entrée. Sacripain
devrait en prendre note,
mais quelque chose
le chicote. Il n'est pas
tout à fait innocent

dans l'incident des moustaches. Peut-être a-t-il un peu propulsé Nathan pour l'aider à s'agripper aux épaules de Paul... Peut-être a-t-il aussi un peu mis le marqueur noir dans la main du garçon... Peut-être a-t-il finalement un peu saupoudré de la poudre magique dans

l'autobus pour que

personne ne s'aperçoive

qu'il aidait Nathan à

dessiner sur le visage

de Paul...

Sacripain aimerait

beaucoup discuter

avec Farfouille de cette

situation. Par malheur,

celui-ci est à nouveau figé sur le comptoir, entre les bananes et le rouleau d'essuie-tout. Seuls ses yeux bougent lorsqu'aucun humain ne le regarde. Pourtant, lorsqu'il entrouvre la porte, Farfouille le voit bien. «Viens me retrouver ce soir», articule silencieusement Sacripain. Farfouille fait «oui» d'un clignement de paupières subtil.

Sacripain note que Delphine a mis la table, puis a ramassé toute la vaisselle, a aidé sa mère à tout ranger, a pris sa douche sans demander

à regarder la télévision,

qu'elle s'est même

privée de dessert et

s'est couchée sans

faire d'histoires.

Il note aussi que

Nathan a traîné

les pieds avant de

finalement sortir ses

cahiers pour faire ses

devoirs, que son père

a dû lui rappeler de

ramasser son assiette

– qu'il a cassée en

l'échappant sur le

plancher de céramique

parce qu'il était trop

distrait – , que sa mère

a dû lui rappeler d'aller

prendre son bain et qu'il

a oublié d'utiliser la soie

dentaire après s'être

brossé les dents.

Au milieu de la nuit,

Sacripain, caché

sous le lit de Nathan,

saupoudre un peu de

poudre magique pour

voir ce qui se passe

dans la tête du jeune

garçon. L'image du
pauvre Félix, effrayé
par Paul, lui apparaît.
Puis Sacripain se
rend dans la chambre
de Delphine. C'est une
tablette électronique
scintillant de mille feux
qu'il distingue dans
la tête de la fillette.

Chapitre 7

Le petit sacripant

Cette nuit, Nathan ne

trouve pas le sommeil.

D'habitude, quand ça

lui arrive, il s'assied

dans son lit, la tête

recouverte de son drap,

et lit un livre, comme s'il

était en camping dans une tente. Mais ce soir, il est incapable de se concentrer. Le visage de Paul Poitras, marqué au crayon-feutre, lui revient sans cesse en mémoire. Ce qui est arrivé est bizarre. Il ne voulait pas intervenir autant. Il souhaitait simplement détourner l'attention de

Paul vers lui pour que

ce dernier laisse

Félix tranquille.

Comment a-t-il fait

pour dessiner d'aussi

belles moustaches ?

Et d'où est venu ce

mystérieux marqueur ?

Est-ce que Sacripain

était dans les parages

pour lui jouer un tour?

Pourtant, le lutin ne

le suit jamais à bord

de l'autobus. Ses

mauvais tours, c'est à la

maison qu'il les fait, et

seulement la nuit!

Peut-être est-ce la

fatigue? Sa mère le

dit si souvent : « Tu es distrait, Nathan. Tu dois être fatigué, tu te coucheras plus tôt ce soir. » Il DÉTESTE quand sa mère lui dit ça.

Il a huit ans, il n'est plus un bébé. Pffff... Il est même capable d'humilier un grand de sixième année !

Il croyait devoir subir la vengeance de Paul et il a passé la journée à éviter le couloir où sont situés les casiers de la classe de son ennemi. Pour rien, en réalité, puisque Paul a dû retourner à la maison. L'encre des moustaches n'était pas lavable.

En lui remettant un billet, le directeur lui a raconté avoir dû passer une heure à savonner le visage de Paul, sans succès.

***

Farfouille est en grande forme. Peut-être trop, d'ailleurs, surtout que Sacripain est très

préoccupé par

le petit Nathan.

– Allez, espèce de

grincheux ennuyeux!

Ça fait des mois que

j'ai envie de boire du

sirop d'érable à la paille.

Filochin-Machin m'a

raconté que c'est suc-culent! Madame Langevin en a ouvert une nouvelle boîte, aujourd'hui. C'est le temps ou jamais.

Sacripain, toujours partant pour se sucrer le bec, se laisse facilement entraîner dans le nouveau jeu de son ami. Trouver les pailles n'est pas trop difficile,

il y en a une boîte

pleine dans l'armoire.

Les plus longues sont

parfaites pour boire

de la limonade glacée

pendant l'été, mais leur

longueur les rend bien

encombrantes pour les

petits lutins.

– Si tu trouves les ciseaux, on pourra en couper une en deux, dit-il à Farfouille.

– Ils sont dans le tiroir le plus haut. Faudra que tu me fasses la courte échelle.

– Mais non, il suffit de monter sur le comptoir.

– Le comptoir est encore plus haut que le tiroir!

Sacripain fixe Farfouille un court instant.

– Est-ce qu'il te reste assez de poudre magique pour ouvrir la porte du réfrigérateur, sortir le pot de sirop d'érable, en dévisser le couvercle ? Au pire, on ne coupe pas la paille et on se l'échange entre chaque gorgée, propose-t-il.

– Pouah ! Je ne veux pas de tes microbes, s'oppose Farfouille.

Sacripain soupire, agacé.

– Depuis quand les lutins se préoccupent-ils des microbes ? Je n'ai jamais eu un seul rhume de toute ma longue vie !

– J'étais figé sur le divan et j'ai vu un

documentaire à la

télévision qui parlait

du virus qui donne le

rhume. Savais-tu qu'il ne

suffit que d'une poignée

de main...

  Sans le laisser

terminer sa phrase,

Sacripain empoigne

les doigts de son ami.

– Voilà pour les microbes. Trop tard, tu es recouvert de mes bibittes!

– Aaaaaaargh, tu es un vilain sacripant! dit Farfouille, scandalisé.

– N'est-ce pas? Allez, il faut se dépêcher!

Ainsi, les deux lutins, à

l'aide de trois poignées

de précieuse poudre

magique, arrivent à

déposer le pot de

sirop sur le comptoir

et à y insérer la paille.

(Le matin venu,

Farfouille sera figé dans

une position farfelue,

paille en bouche, mains

collées et ventre rond.)

Sacripain, toujours

prudent afin de ne pas

se faire voir par les

humains, n'abuse pas

de la boisson pourtant

délicieuse. Sur la pointe

des pieds, il retourne

vite dans sa cachette

préférée, le bas du

garde-manger, là où

la famille Langevin

conserve les sacs de

farine et de sucre. Le

coin le moins visité

de la cuisine.

Dans son veston,

il garde le précieux

crayon-feutre. Il a des

messages à écrire
durant la nuit.

Chapitre 8

Des céréales santé

Delphine se lève quinze minutes avant le signal du réveille-matin, discipline qu'elle s'impose tout au long du mois de décembre. Depuis le premier jour du mois de Noël, elle

fait tout à la perfection,

et même mieux!

Rapidement, elle enfile

les vêtements qu'elle

a pris le temps de

préparer la veille.

Sous-vêtements... C'est

beau! Pantalon... C'est

beau! Chandail blanc...

C'est beau! Puis, son

cœur s'arrête. Quelque

chose manque... Ses

bas! Où sont ses bas?

Elle les avait pourtant

placés sur la pile!

Delphine avait tout

prévu à la minute près!

Elle s'arrête. Elle doit

absolument se calmer.

Après tout, ce n'est

qu'une paire de bas. Elle en a d'autres dans son tiroir. Décidée à ne pas se laisser démonter par un détail aussi ridicule, elle contourne son lit pour se rendre à sa commode. Elle ouvre le premier tiroir, celui dans lequel ses parents rangent toujours

ses bas.

– Aaaaaaaargh!

s'exclame-t-elle.

Le tiroir est vide.

Non. Pas vide. Il est

plutôt plein : tous ses

animaux en peluche

y sont rangés ! De son

éléphant à Donald le

canard, ils sont tous là !

Delphine secoue la tête,

incrédule.

– Ça, c'est l'œuvre

de Sacripain ! s'écrie-

t-elle. Mamaaaaan !

Sacripain a pris

tous mes bas ! Il a

déplacé mes toutous !

Mamaaaan !

Alors qu'elle s'apprête

à sortir de sa chambre,

elle sent sous ses

orteils quelque chose

de gluant... et collant.

Intriguée, elle se penche

et soulève son pied pour

voir de quoi il s'agit.

D'un doigt hésitant,

elle goûte la mixture.

– Du sirop d'érable!

Comment du sirop a-t-il bien pu se rendre en flaque sur le plancher de sa chambre? Si ce n'est pas Sacripain, c'est Nathan. Les dents serrées, elle espère de tout son cœur qu'il ne s'agit pas d'un mauvais

tour de son frère. S'il a
fait une chose pareille,
ils perdront tellement
de points qu'ils ne
recevront vraiment
qu'un petit rien tout
neuf à Noël.

Mais Delphine est
intelligente, surtout
en décembre! Non

163

seulement elle ne
rapporterra pas les
méfaits de son frère
ou du lutin (elle ne sait
pas lequel accuser),
mais elle ramassera
les dégâts sans dire un
mot. Ni vu ni connu !
Pas question de perdre
de précieux points
magiques !

Maintenant, où sont ses bas ?

***

À son réveil, Nathan se rend compte qu'il s'est endormi avec sa lampe de poche allumée. Zut. Les batteries sont mortes. Pas grave, il les rechargera, comme d'habitude. C'est loin d'être la première fois que ça lui arrive. Il a d'autres préoccupations, comme manger, par exemple. Il a une faim de loup.

En passant dans le corridor, il aperçoit sa sœur en train de laver le plancher de sa chambre.

Il sourcille, amusé.

Jusqu'où ira-
t-elle pour gagner des
points magiques, celle-
là ? Nathan soupire. Il
a un peu abandonné.
Au point où il en est,
surtout avec la bagarre
avec Paul, il ne s'attend

plus à grand-chose

sous l'arbre.

Toujours en pyjama
malgré l'heure qui
avance, il s'installe
sur le sofa. Son bol de
céréales multicolores
entre les mains, il
allume le téléviseur.
Alors qu'il s'apprête à

engloutir une première
cuillerée de céréales
sucrées, la voix
tonitruante de sa sœur
le fait sursauter:

— QU'EST-CE QUE
TU FAIS ENCORE EN
PYJAMA, À MANGER DES
CÉRÉALES PAS SANTÉ,
SUR LE DIVAN, DEVANT

LA TÉLÉVISION ? C'est quatre méfaits d'un seul coup !

Les joues de sa sœur sont écarlates. Elle agite ses nattes brunes dans tous les sens tellement elle est fâchée.

– Euh..., marmonne Nathan, qui ne

s'attendait pas à une telle attaque.

– Arrête de marmonner et va t'habiller ! J'espère que t'as économisé ton argent de poche, parce que si je ne reçois pas la tablette, c'est toi qui la paieras !

171

Nathan ne peut qu'éclater de rire.

– Si tu penses que je vais payer ton truc électronique, tu te trompes !

Lorsque leurs regards se croisent, Nathan remarque que les yeux de Delphine sont rougis et humides.

Les larmes viendront

sous peu. Il connaît sa

sœur, elle n'est pas du

genre à pleurer pour

rien, elle est beaucoup

trop orgueilleuse pour

cela. Du coup, Nathan

est touché et se sent

coupable. Même si

sa jumelle n'est pas

toujours commode,

il n'aime pas

la voir pleurer.

  – OK, dit-il. Je vais

m'habiller. Mais en

échange j'aimerais

que tu cesses de me

surveiller, d'accord ?

Je vais faire mon gros

possible pour qu'on

accumule un maximum
de points d'ici Noël,
n'aie pas peur.

À ces mots, le visage
de Delphine se détend
et un faible sourire
anime son visage encore
rosi par la colère.

– D'accord. JE VAIS
ÊTRE ENCORE PLUS

GENTILLE QUE JE L'ÉTAIS

DÉJÀ! dit-elle si fort que

Nathan devine qu'elle

veut s'assurer

que Sacripain

l'a entendue.

– Ça va, murmure-t-il.

Je pense que

Sacripain, Farfouille

et tous les autres

lutins des maisons
environnantes t'ont
entendue.

Delphine éclate de
rire en saisissant le bol
de céréales des mains
de son frère. Quelques
secondes plus tard,
elle revient avec une
banane et un muffin au

son qu'elle lui tend en souriant.

***

Caché derrière le portemanteau, suspendu à la poche de la canadienne de Delphine, Sacripain observe la scène avec plaisir. Il n'attend qu'une chose:

que les enfants partent
pour l'école. Il sera avec
eux, caché dans le sac
de Nathan, comme
la veille.

Chapitre 9
Sacripain Latreille

Paul Poitras monte dans l'autobus en parlant fort et en agitant son sac. Les plus jeunes n'ont d'autre choix que de se pousser pour éviter d'être frappé au visage.

Sous le nez de Paul, on

pourrait voir quelques

traces de moustache,

s'il ne cachait pas

son visage dans son

foulard. Évidemment,

tous les élèves ont les

yeux braqués sur lui, y

compris Delphine, qui

craint une autre bagarre.

Les yeux de la fillette

vont de Nathan à Paul.

Elle est nerveuse. La

dernière chose qu'elle

souhaite, c'est de voir

son frère s'attaquer

de nouveau à Paul.

Même si c'est pour

défendre Félix.

– Tasse-toi de là!
dit Paul à travers
son foulard.

Il s'adresse à Félix.
Encore. Il faut croire
qu'il n'a pas retenu sa
leçon.

Delphine laisse
échapper un petit cri de

panique lorsque Nathan

se lève de son siège.

   – Nathaaaaan !

Rassieds-toi, voyons !

dit-elle entre ses dents.

   – Désolée, Delph.

Le grand nono n'a pas

encore compris.

   – Tu m'as promis...

Au fond de l'autobus, Paul se penche sur Félix. Ce dernier s'écrase sur son siège, incapable de répondre, et encore moins de se défendre. Nathan est incapable de laisser passer sans intervenir. Il n'a pas de crayon-feutre, pas plus qu'il n'a grandi depuis la

veille, il trouve pourtant
le courage de se ruer
vers l'intimidateur.

***

Sacripain se retient
de crier de douleur
lorsque le sac de Nathan
est projeté au sol. Le
lutin est pris entre les
livres et le plancher.

Il doit trouver comment ouvrir la fermeture éclair. Qu'est-ce que Nathan fabrique encore ? Du bout des doigts, il cherche à se libérer. Les secondes sont longues lorsque l'urgence est grande.

Sacripain peut entendre les enfants crier « Nathan ! Nathan ! » et d'autres s'exclamer « Paul ! Paul ! » en guise d'encouragements. Se bagarrent-ils encore ? Le lutin est nerveux. Bien que Nathan soit très courageux, il est trop petit pour s'en prendre à

un grand comme Paul.

Désespéré, Sacripain

trouve sa poudre

magique et en avale

la moitié. Voilà qui lui

permettra de prendre

la place du chauffeur.

Le lutin déteste utiliser

cette méthode. En plus,

le père Noël n'aime
pas que les humains
perdent le contrôle
de leur volonté, mais
Sacripain ne voit pas
d'autre solution.

Hop! Il se sent
disparaître et,
lorsqu'il ouvre les
yeux, il est dans la

peau du chauffeur.
Sans attendre, il
immobilise l'autobus
sur l'accotement de
la route. Sacripain
doit faire vite, ce genre
de sortilège ne dure
pas longtemps! Dans
le corps du chauffeur,
Sacripain se lève d'un
élan un peu maladroit:

il n'a pas l'habitude

d'avoir d'aussi longues

jambes et de si

grosses bottes.

– Arrêtez de vous

battre ! s'écrie-t-il.

De ses énormes

mains, il saisit chacun

des garçons par le collet

et les rassoit chacun sur
son banc.

– Le père N... euh!
Je veux dire, votre
directeur sera avisé de
votre comportement,
dit Sacripain.

Ouf! Il allait dire
«le père Noël». Il s'est
ravisé juste à temps.

Sacripain lance
un dernier regard vers
Nathan, qui le dévisage
d'un air surpris. Vite,
il faut que le chauffeur
reprenne sa place au
volant. Il se sent déjà
sortir du corps de
monsieur Latreille.

195

Chapitre 10

Farfouille est un génie!

Nathan est distrait pendant tout le trajet vers l'école. Il ne peut pas oublier le regard que monsieur Latreille lui a adressé juste avant de reprendre sa place

au volant. Les yeux du
chauffeur étaient d'un
vert lime très brillant.
Ils avaient quelque
chose de familier.

C'était bizarre...

   En descendant de
l'autobus, Nathan
regarde le chauffeur
droit dans les yeux, dans

l'espoir de s'assurer
qu'il n'a pas rêvé.

– Monsieur Latreille,
dit-il pour attirer son
attention.

L'homme le regarde
de son air fatigué
habituel. Ses iris sont
bruns. Ce ne sont pas
les yeux verts qu'il a

vus auparavant. Voilà
qui est très inquiétant.
Peut-être que monsieur
Latreille est malade?

200

– Je suis désolé,
monsieur Latreille,
dit Nathan. Je ne
voulais pas causer de
problèmes. Merci de

nous avoir séparés

tout à l'heure.

Le vieux chauffeur ne

semble pas comprendre.

– Descends vite, jeune

homme, la cloche

va sonner.

***

Farfouille et

Sacripain sont

installés sur le couvercle

de l'aquarium. Chacun

a en main une canne

à pêche en bâton de

Popsicle munie d'un fil

de soie dentaire. Certes,

les oursons en jujube

ne sont pas des appâts

très intéressants pour

Vermicelle et Hercule,

les deux poissons

rouges des Langevin,

mais les lutins aiment

la pêche, peu importent

leurs prises. Surtout

que Vermicelle et

Hercule sont de fort

sympathiques copains

des lutins. Ceux-ci ne

font que « taquiner le

poisson», comme disent
les vrais pêcheurs.

– Nathan a encore
été désobéissant
aujourd'hui, confie
Sacripain à son ami.

– Il ne suit aucune
des règles de la liste,
renchérit Farfouille.
S'il continue ainsi, les

enfants de cette maison
n'auront pas de cadeaux
à Noël. Delphine fait de
si grands efforts... C'est
injuste pour elle.

– Il y a tout de même
quelque chose qui me
chicote, dit Sacripain.
Nathan ne suit peut-
être pas les règles, mais

ce n'est pas pour mal

faire. Il ne pense pas à

ses cadeaux et essaie de

protéger

le petit Félix.

Farfouille regarde

son ami avec intérêt.

Sacripain a raison.

– Et tu as vu comme

il est patient avec sa

sœur ? Elle est toujours en train de lui dire quoi faire.

Sacripain soupire.

– Elle ne pense qu'à son cadeau. J'ai vérifié l'autre soir en utilisant de la poudre magique. En plus, elle n'a pas essayé de s'interposer entre Paul et Félix. Alors que Nathan...

– ... s'est sacrifié pour le protéger ! termine Farfouille à sa place. Tu as bien fait de les suivre jusque dans l'autobus.

– Évidemment que j'ai bien fait ! Sinon, on ne saurait pas à quel point

Nathan se préoccupe des autres. Cet enfant-là n'est pas parfait, il est distrait et parfois paresseux, mais il a un grand cœur et beaucoup de courage. Si tu voyais Paul Poitras ! Il doit faire deux fois la taille de Nathan.

Les deux lutins se dévisagent, maintenant préoccupés par la tournure des événements.

— Je dois évaluer si les enfants méritent leurs cadeaux. Le temps presse, il ne reste que quelques jours avant Noël,

soupire Sacripain.

– Mais la liste...,

s'inquiète Farfouille.

Il faut que Nathan

apprenne à suivre

les consignes !

Sacripain plisse

ses yeux verts, soudain

perdu dans ses pensées.

– Il faut peut-être essayer de l'aider un peu.

Le regard de Farfouille s'illumine d'un seul coup.

– Je suis bien d'accord. Et ne trouves-tu pas que Delphine devrait tirer quelques leçons des qualités de son frère ?

Sur le visage de Sacripain se dessine un large sourire.

– Ouais! Mon Farfouille, t'es un génie!

Ce dernier glousse de plaisir.

– Hé, hé, hé! Je sais. T'es pas mal non plus, mon Sacripain!

Chapitre 11

Voyage au pôle Nord

Depuis plusieurs
minutes, Delphine
cherche sa brosse à
cheveux. Pour elle, c'est
dramatique. Elle sera en
retard à l'école si elle
ne peut pas se coiffer

à l'heure habituelle. Et un retard, ça signifie une perte de points magiques.

– Maman, j'ai perdu ma brosse à cheveux !

– Prends la mienne.

– La tienne tire les cheveux et me fait mal.

J'ai vraiment besoin de

maaaaa brosse !

Nathan, qui vient

de terminer son petit-

déjeuner (un bol de

céréales pas santé aux

couleurs de l'arc-en-ciel,

qu'il a mangé devant la

télévision du salon, à

l'écart du regard sévère

de sa sœur), se pointe à

la porte de la salle

de bains.

– Tiens, j'ai cherché

partout et je l'ai trouvée

dans le congélateur, dit-

il en lui tendant

l'objet froid.

– Ça doit encore être Sacripain !

répond-elle.

– J'en ai aussi l'impression, dit Nathan.

Un peu plus tard, alors que les jumeaux se préparent pour l'école, Delphine pousse un cri strident.

– Delphine, est-ce que ça va ? T'es-tu fait mal ? demande Nathan.

La jeune fille ravale ses larmes. Ses pieds sont mouillés, non... ils sont collés ! Elle retire ses bottes et remarque un liquide visqueux à l'intérieur. Sans hésiter,

Nathan y trempe son

doigt pour tenter

d'identifier la substance.

– C'est du miel,

annonce-t-il. C'est juste

du miel, t'en fais pas.

– Mais ! Mes bottes !

Elles sont bonnes pour

la poubelle, pleurniche-t-elle. On va manquer l'autobus et... et...

– Perdre des points magiques ? demande Nathan.

– Ouiiiiiiii !

Le garçon regarde autour d'eux. Ce n'est pas normal. Les lutins font des plaisanteries, bien sûr –   ce sont des

lutins, après tout –, mais

pas des coups pendables

pour faire pleurer les

enfants. Que se passe-

t-il donc avec

Sacripain et

Farfouille ? Sont-ils

tombés sur la tête ?

– Ne t'en fais pas,
dit-il à sa sœur. Je vais
te chercher des bas
propres, tu mettras mes
bottes et je prendrai ma
paire de l'an dernier.

– Mais... elles sont
trop petites pour toi!
Tu as grandi, depuis
l'an dernier.

– Non, ne t'en fais
pas. Tout ira bien, et tu
ne seras pas en retard.
Va te nettoyer les pieds,
je reviens.

Quelques instants
plus tard, le frère et
la sœur sont assis
dans l'autobus. Paul
Poitras, désormais plus

tranquille en présence
de Nathan, se fait
discret. Ce que Nathan,
pour sa part, ne peut
ignorer, c'est la douleur
à ses orteils, parce que
ses bottes sont vraiment
trop petites...

***

Cette nuit-là,

Sacripain fait un

voyage d'urgence au

pôle Nord. La situation

a assez duré. Juste

avant de partir, il a

consulté la liste des

enfants méritant les

plus beaux cadeaux à

Piedmont. Les petits

Langevin n'y sont pas. Ni

Delphine ni Nathan, qui, évidemment, doivent avoir du mérite en équipe. Sacripain n'a fait que noter les points selon les consignes sur sa liste, voilà pourquoi les petits Langevin n'y sont pas. Chaque point que Delphine a gagné en suivant les règlements, le comportement de

Nathan les lui a

fait perdre.

Les instructions

données par le Grand

Patron ne sont plus

adaptées. Comment

priver un garçon

comme Nathan de ses

cadeaux sous prétexte

qu'il ne fait pas ce qu'on lui demande ? Dans son cœur de lutin, Sacripain est convaincu que la générosité de Nathan va au-delà des attentes du père Noël. Mais le Grand Patron verra-t-il les choses de la même façon ?

Les derniers jours
avant Noël sont une
période très occupée.
Rencontrer le père
Noël un 20 décembre
est quasi impossible.
Au quartier général
du Grand Patron,
Sacripain se fait
bousculer par une horde
de lutins énervés qui

courent dans tous les sens. Partout autour de la maison du père Noël s'amassent des montagnes de cadeaux. Des lutins les étiquettent. D'autres, plus forts et plus habiles, font la navette entre le centre de fabrication et celui de l'emballage. Souvent,

c'est là que se trouve

le père Noël pour

superviser le travail.

En tant qu'évaluateur

de comportement,

Sacripain possède

des pouvoirs que les

lutins ouvriers n'ont

pas. Entre autres, il est

plus rapide et, avec

une énorme dose de

poudre magique, il peut

se métamorphoser,

notamment emprunter

le corps de certains

humains. Oh, pas les

plus éveillés, il va

sans dire ! Et jamais

pour très longtemps.

Monsieur Latreille était

parfait pour ce genre

d'intervention.

Ici, au pôle Nord,

personne ne chôme !

Partout, pareils à de

vraies petites abeilles

qui travaillent en

sifflotant, les lutins

s'activent.

– Excuse-moi,

Gérobain, dit Sacripain

au premier lutin qu'il

croise. As-tu vu le Grand

Patron ?

Je dois absolument...

– Pas le temps,

l'interrompt Gérobain.

Pas le temps, pas le

temps, va-t'en, laisse-moi travailler!

Penaud, Sacripain continue de zigzaguer entre les rangées de lutins travailleurs.

– Salut, Bilubain! Je cherche le père Noël, sais-tu où je peux le trouver?

Mais Bilubain lui sert la même réponse que Gérobain :

– Pas le temps ! Vous, les lutins évaluateurs, vous pensez qu'on a le loisir de discuter. J'ai des millions de cadeaux à emballer, moi ! Des millions, tu m'entends ?

Pas le temps! Pas le temps! Pas le temps!

Fatigué de se faire rabrouer, Sacripain grimpe sur une table pour tenter d'apercevoir le géant à la barbe blanche quelque part. Parmi tous ces petits êtres vêtus de vert, un grand bonhomme en rouge ne peut pas être si difficile à repérer. Rapidement, il voit le bonnet rouge et blanc et entend un rire grave : « Ho ! Ho ! Ho ! »

– Père Noël ! Père Noël ! J'ai un problème

de première urgence!
Père Noël!

Les centaines de lutins se mettent à rire. «Comme si le père Noël avait le temps de s'occuper des problèmes d'un lutin voyageur!»

dit l'un. «Ha! Ha! Ha!»

s'esclaffe l'autre.

En désespoir de cause,

Sacripain décide de

mettre le paquet.

– C'est concernant le

petit Nathan Langevin. Il

est victime d'une grave

injustice!

Au mot « injustice »,

les lutins se taisent et

le père Noël se retourne.

Ses yeux rieurs fixent

Sacripain par-dessus

ses petites lunettes

rondes.

– Que veux-tu me dire

à son sujet, Sacripain ?

De son pas lourd,

le père Noël s'avance

vers le lutin. Même si

celui-ci est debout sur

une table, le patron est

beaucoup plus grand

que lui et Sacripain

doit lever la tête pour

le regarder.

– C'est que..., bégaye-
t-il en regardant ses
pieds, le petit Nathan...

– Suit-il les consignes
de ta liste ?

– Paaaaaas vraiment...

Le père Noël fronce
les sourcils et retire
ses lunettes.

– Tu veux dire «pas
du tout», n'est-ce pas,
Sacripain ?

– Mais, patron...
Nathan fait preuve de
courage ! Et il fait son lit
tous les matins !

– Ho ! Ho ! Ho !
s'esclaffe le père Noël.
N'est-ce pas le petit

garçon qui fait semblant

de se laver sans même

se mouiller le gros

orteil?

– Oui... mais, Père

Noël, Nathan est

gentil avec sa sœur;

il défend Félix; il a

un si grand cœur! Sa

sœur Delphine suit

toutes les consignes,

oui, mais... J'en viens

à me demander...

l'esprit de Noël, est-ce

seulement suivre les

règles pour recevoir un

beau cadeau ? Ou est-

ce que la gentillesse ne

devrait pas être mieux

récompensée ?

Les lutins travailleurs
écoutent en silence les
propos de Sacripain.
Ils ont cessé de rigoler.
Sur le visage du
père Noël se dessine
lentement un
large sourire.

– Ho! Ho! Ho! Mon
petit Sacripain, je

suis bien fier de toi.

J'attendais ce moment.

Les lutins, vous avez

entendu ? s'exclame

le grand homme en

regardant toute la

troupe. La gentillesse et

la générosité, voilà les

vraies valeurs de Noël !

– C'est vrai ? demande
Sacripain. Vous allez
donc récompenser
Nathan ?

Le père Noël essuie
les verres de ses
lunettes sur sa barbe
blanche avant de les
reposer sur son gros nez
au bout arrondi.

– Oui, bien sûr! Par contre, une chose ne changera pas. Nathan et Delphine doivent mériter leurs cadeaux ensemble. Delphine doit aussi faire preuve de gentillesse et de générosité.

– Mais, Père Noël, si elle ne comprend pas, alors le petit Nathan en subira les conséquences ?

– Ça, c'est ton travail, Sacripain. Il faut avoir confiance... Tous les enfants ont en eux la capacité d'être gentils

et généreux. Allez,

retourne à Piedmont

et rends-moi fier.

– D'accord, patron.

 Sacripain fait

le voyage de retour vers

Piedmont, bien décidé à

pousser Delphine

à se montrer généreuse.

Comment faire ?
Peut-être en lui
rendant la vie un
peu plus difficile ?

– Pauvre Delphine !
Elle aura encore
quelques petits
problèmes inattendus,
marmonne Sacripain
pour lui-même. J'espère
qu'elle sera gentille...

Chapitre 12

Mission délicate

Ce samedi est le

dernier avant le grand

jour. Noël est tout

près. Delphine est déjà

habillée. Elle a fait

son lit, nourri et sorti

le chien. Elle a même
ramassé ses crottes !

Lorsqu'elle décide de
chercher la boîte de ses
céréales préférées pour
préparer elle-même son
petit-déjeuner, la jeune
fille est stupéfaite. Le
garde-manger est vide !

– Nathaaaaan ! Viens voir ! s'écrie-t-elle, paniquée. Nathaaaaan !

Son frère, quant à lui, vient à peine de se réveiller. Comme chaque année, plus Noël approche, plus il a du mal à s'endormir. Surtout qu'il a eu une

grosse semaine. Vider
le garde-manger pour
remplir les boîtes qui
seront remises aux plus
démunis n'a pas été une
mince affaire. Avec Félix,
son nouveau complice
depuis les incidents de
l'autobus, ils ont fait
plusieurs allers-retours,
transportant dans leurs

petits bras conserves,

sacs de riz et boîtes

de pâtes sèches, entre

autres nourritures non

périssables. Dommage

que sa sœur soit allée

à son cours de chant,

elle aurait pu gagner

plusieurs points en les

aidant à transporter

les dons.

La voix de sa jumelle le tire de sa somnolence. Pourquoi Delphine s'époumone-t-elle ? S'est-elle fait mal ? À cette pensée, Nathan est inquiet. Il se lève d'un bond et dévale l'escalier à toute vitesse.

– Delphine, est-ce que
ça va ? Es-tu blessée ?
demande-t-il.

Sa sœur est en colère ;
Nathan le voit tout

de suite. Ses petits
bras croisés, ses joues
rouges, ses lèvres
pincées. En plus,
elle tape du pied.

– Je pense que c'est une autre plaisanterie de Sacripain, dit-elle. Ça fait des jours qu'il fait des mauvais coups pour me faire rager! Il teste ma patience, j'en suis certaine.

En effet, ces derniers jours, Delphine a vu ses

jouets favoris disparaître
et ses brosses à cheveux
se faire saupoudrer de
sucre à glacer. Chaque
fois, elle s'est efforcée
de se montrer patiente
et de ne pas se fâcher.
Chaque fois, Nathan l'a
aidée à retrouver les
objets disparus ou à
les nettoyer.

– Ah... zut ! dit Nathan.
C'est que, hier c'était
le dernier jour pour la
guignolée et... je les ai
prises par erreur.

Delphine ferme
les yeux, la paume
plaquée sur son front.
« Gentille..., sois

gentille...»

songe-t-elle.

– Laisse-moi deviner.
Tu as donné mes
céréales?

– Je suis vraiment
désolé, s'excuse Nathan.

Delphine, bien que
frustrée, déçue et,

surtout, affamée, pousse
un long soupir.

– C'était pour les
enfants démunis ?
demande-t-elle.

– C'est ça, dit Nathan.

– OK, alors. Mais
n'oublie pas de te
brosser les dents avant

de partir pour l'école,

le sermonne-t-elle.

***

Le soir venu, alors que

Delphine est endormie,

Sacripain et Farfouille

s'installent sur sa

commode blanche, côte

à côte. Sacripain vient

de raconter à Farfouille

sa discussion avec
le Grand Patron.

– Alors, si j'ai bien
compris, il faut
faire en sorte que
Delphine devienne
plus généreuse ?
dit Farfouille.

– Hmm hmm…,
acquiesce Sacripain.

– ... Et gentille ?

– Exactement !

– C'est tout un défi !
Elle est si préoccupée
par sa tablette qu'elle a
de la difficulté à penser
à autre chose. Pour elle,
l'esprit de Noël, c'est
suivre les consignes
à la lettre.

– Oui, et c'est très

bien. Sauf que le père

Noël est d'accord avec

moi. Il n'y a pas que

le respect des règles.

Le patron a dit que

Delphine devait aussi

apprendre les valeurs

de Noël.

– Tu pourrais lui écrire un message pour lui dire d'être généreuse. Mission accomplie ! suggère Farfouille.

– J'y ai pensé, mais la générosité, ça doit venir du cœur, et non d'une simple instruction, tu comprends ?

Farfouille hoche
la tête.

– Oui, je comprends
très bien. Il faut donc
que Delphine comprenne
sans qu'on le lui dise.
Mais comment faire ?
C'est compliqué...

– Le patron m'a dit
de lui faire confiance.

Je lui ai joué bien des

tours pour la faire rager

un peu, mais j'ai peur

que ça ne suffise pas.

Elle ne retient sa colère

que pour conserver ses

points magiques. Alors,

comment l'aider ?

Farfouille se gratte la tête, aussi inquiet que son ami.

– La poudre magique, peut-être ?

– Notre poudre peut réaliser bien des choses, mais ne peut pas changer ce qu'il y a dans le cœur d'un enfant.

Attendons, observons et espérons..., soupire Sacripain.

– Espérons..., répète Farfouille.

Chapitre 13

Ssssshhhhh!
Affaire classée!

Nathan est tout

heureux de se vautrer

sous les couvertures

sans avoir à se préparer

pour aller en classe,

car aujourd'hui, c'est

dimanche. Il ne reste
que trois jours d'école.

Dans le corridor, il
entend des pas. Ah, non !
Pas déjà Delphine qui
vient le presser de se
lever ! Vivement le 25
décembre pour que sa
sœur redevienne elle-
même ! Pas que Delphine

soit si commode le reste

de l'année, mais au

moins, elle ne s'acharne

pas sur lui pour le forcer

à suivre une liste

de consignes.

Toc ! Toc ! Toc !

– Il n'y a personne,

marmonne-t-il en se

cachant la tête
sous son oreiller.

Toc! Toc! Toc! fait
encore la visiteuse de
l'autre côté de la porte.

– Je ne suis pas là!
dit Nathan.

– Oui, tu es là. Tu
viens de me répondre.
Allez, viens m'aider à

faire les gâteries de Noël!

– Encore un truc pour gagner des points magiques, murmure Nathan, agacé.

– Nathaaaaan! Je te donne deux minutes pour descendre. Allez hop, vilain paresseux!

Nathan laisse
échapper un long soupir.
Sa sœur est tenace, elle
ne le lâchera pas tant
qu'il ne se lèvera pas.
Tant bien que mal, il sort
du lit en bâillant.

À la cuisine, c'est
un véritable champ de
bataille. Sa mère, son

père et sa sœur sont à
la tâche. Sur le comptoir,
la friteuse électrique
boucane, sa vapeur
huileuse embaumant
la pièce. Sur la table,
Delphine est affairée à
découper des beignets
avec des emporte-pièce,
tandis que leur mère
manipule une pâte

brune. Avec son tablier
de cuisinier, son père
semble se dédier à
la friteuse.

– Wow, une vraie
manufacture ! dit-il,
impressionné.

– C'est l'idée de
Delphine ! s'exclament

leurs parents en

même temps.

Nathan hoche la tête

lentement. Il n'est pas

surpris. Sa sœur est en

sprint final pour gagner

des points magiques.

Autant l'aider pour avoir

la paix ensuite.

– Comment est-ce que
je peux être utile ?

– Tu peux tremper les
beignets dans le sucre à
glacer ? lui demande

sa mère.

– Je crois bien...

Pendant des heures,
la famille Langevin
travaille dans la

cuisine. En fin d'après-midi, maman et papa Langevin secouent leurs tabliers. Delphine s'amuse à compter les gâteries sucrées.

– Deux cents beignets, cent cinquante-trois bonshommes de pain d'épices.

– Tu ne vas pas

manger tout ça ?

ricane Nathan.

Delphine lève le

menton pour protester.

– Bien sûr que non !

C'est pour les élèves de

la classe, dit-elle.

– Encore pour des points magiques ? demande Nathan.

– Ça m'arrive d'être juste gentille, tu sauras ! affirme Delphine en plissant le nez.

– Bien sûr..., fait Nathan, incrédule. Puisque tu le dis.

– C'est pourtant vrai.
J'AI FAIT LES GÂTERIES
POUR ÊTRE GENTILLE !
claironne-t-elle à la
ronde. NE PAS ME
DONNER DE POINTS
MAGIQUES POUR ÇA !
ajoute-t-elle.

Nathan n'en croit
pas un seul mot, mais

ne s'obstine pas. Sa

sœur a une façon bien

différente de la sienne

de faire plaisir aux

autres. Souvent, c'est

pour obtenir quelque

chose. Pourquoi ne pas

lui donner le bénéfice du

doute, cette fois ? C'est

Noël, après tout !

***

Ce soir-là, Sacripain

est tout sourire.

Farfouille voit son ami

écrire dans son carnet

avec beaucoup de

concentration. Il semble

fort heureux de ce qu'il

y consigne.

– Dis-moi donc, Sacripain, qu'es-tu en train d'écrire ?

Sans répondre, Sacripain continue sa besogne. Puis, au bout de longues secondes, il dépose son crayon.

– Voilà, c'est fait !

Farfouille essaie de voir ce que Sacripain a noté, mais celui-ci est plus rapide, il plaque son carnet contre sa poitrine.

– Hé! Je veux voir!

– Tu ne sais même pas lire...

– Alors, raconte-moi!

– Ma mission est
accomplie! dit-il
triomphant. Delphine
a fait preuve de
générosité aujourd'hui.

Farfouille roule les
yeux vers le plafond.

– Tu parles des
beignets pour
sa classe, j'imagine?

– Oui ! C'était parfait !
affirme Sacripain.

– Tu sais qu'elle a
fait ça pour...

Sacripain se jette
sur Farfouille avant
que celui-ci ne puisse
terminer sa phrase.
Les deux lutins roulent
enlacés dans le tiroir

entrouvert contenant les
bas de Delphine.

– Sssshhhhh! ordonne
Sacripain sans lâcher
sa prise sur Farfouille, à
qui il couvre la bouche
de sa main. Delphine a
été généreuse, OK?

– Mais…, marmonne
Farfouille sous la main
de Sacripain.

– Ne dis rien. C'est
réglé. D'ailleurs,
comme ma mission est
accomplie, je vais partir
ce soir et ne revenir
qu'à Noël. Toi, tu n'auras
qu'à veiller et noter

leurs bonnes actions,
compris ?

Sacripain retire sa
main de la bouche de
Farfouille pour le
laisser répondre.

– Sacripain, si je
ne te connaissais pas
mieux, je croirais que
tu essaies de tricher.

Il reste encore quatre jours avant No...

– Sssshhhh, j'ai dit ! Ces deux enfants-là méritent leurs cadeaux. Et puisque Nathan n'a pas formulé de demande spéciale, il aura une surprise, dit Sacripain.

Farfouille regarde

son ami et sourit à son

tour. Lui aussi souhaite

que les enfants soient

gâtés à Noël. Il espère

seulement que la façon

de faire de Sacripain

ne soit pas une

grosse erreur...

Chapitre 14
Le pardon du père Noël

La maison fleure bon la tourtière du Lac-Saint-Jean. Leur mère a fait la recette de leur arrière-grand-mère, originaire de Jonquière. En cette veille de Noël,

Nathan et Delphine
mangent leur portion
avec appétit.

– C'est meilleur
avec des betteraves
marinées. Arrrk! Je ne
peux pas croire que tu
gâches les patates
avec du ketchup!
dit Delphine.

– Je n'aime pas
les betteraves,
se défend Nathan.

– Tous les goûts
sont dans la nature,
intervient son père.
Delphine, tu as déjà tout
mangé ?

– C'est parce que j'ai
trop hâte d'aller me

coucher! Demain matin, les cadeaux seront sous le sapin. Je suis certaine que la tablette électronique que j'ai demandée y sera. J'ai été vraiment sage!

Le père sourit à sa fille.

– C'est vrai que tu as

été sage, ma chérie.

Et toi, Nathan, crois-

tu que tu recevras le

cadeau que tu voulais ?

Nathan, occupé à

empiler ses morceaux

de patates et à tracer

des chemins de ketchup

entre les morceaux de

poulet qui se trouvent
dans cette recette,
hausse les épaules.

– Je n'ai rien demandé
de particulier. De toute
façon, je ne m'attends
à rien.

– C'est sûr, tu n'as pas
suivi les consignes !

– Oh, arrête, Delphine, avec les consignes! Tout le monde n'est pas comme toi. Je ne suis pas parfait, moi.

– Tut, tut, tut, les enfants! intervient leur grand-mère. C'est le réveillon de Noël, je ne veux pas vous voir vous chamailler. De toute façon, j'en ai, moi, des petits cadeaux.

Tu n'auras pas les mains vides, Nathan.

– Une chance que grand-maman est là, hein, Nathan ? raille Delphine.

– Merci,

grand-maman...

– Tu sembles bien

fatigué. Allons découvrir

les cadeaux que

j'ai apportés.

Le réveillon se

passe dans la joie de

découvrir les petites

surprises remises par

leur grand-mère, et celles de l'échange de cadeaux que se font les adultes entre eux. Au petit matin, les enfants trouveront ceux du père Noël.

Nathan prépare un verre de lait, tandis que Delphine sort quelques petits bonshommes de

pain d'épices qu'elle a

pris soin de conserver.

Avant d'aller dormir, la

collation pour le père

Noël est placée sous

le sapin.

***

C'est la nuit de Noël

et la présence de

Sacripain n'est plus requise chez les Langevin. Il devrait se réjouir du travail accompli, mais il est plutôt inquiet. Il fait les cent pas devant la maison du père Noël alors que celui-ci s'apprête à partir pour sa grande distribution.

La culpabilité le ronge.

Il doit impérativement

parler au Grand Patron

avant que celui-ci ne

visite la maison

des Langevin.

En même temps,

Sacripain hésite.

Lorsqu'il lui avouera

qu'il n'a pas fait son

travail avec sérieux, il

perdra sa place de lutin

voyageur, c'est certain!

Ah, il aurait dû écouter

ce que Farfouille tentait

de lui dire! Delphine

a voulu manipuler les

résultats en préparant

des beignets pour sa

classe. Elle voulait

gagner des points,

voilà tout! C'était de

l'égoïsme, pas

de la générosité.

Dès qu'il entend les

pas lourds du patron,

Sacripain se fige sur

place. Il se sent bien

petit dans ses souliers

à bout recourbé.

La porte s'ouvre dans

un wouuushhh qui fait reculer Sacripain. C'est le moment de tout avouer au père Noël.

– Ho! Ho! Ho! Mon petit Sacripain! Que fais-tu là?

– Je pense que j'ai fait une grave erreur... Mais je ne voulais pas mal faire. Oh, Père Noël, ne punissez pas les enfants à cause moi !

Le père Noël fronce les sourcils, puis se remet à rire.

– Je sais très bien ce que tu as fait, mon petit Sacripain. Je dois dire que je suis heureux que tu viennes m'en parler. C'est au sujet de Delphine Langevin ?

– Oui, Père Noël. Je crains qu'elle n'ait pas été aussi généreuse que je vous l'ai laissé croire. Les petits beignets, les pains d'épices, c'était pour gagner des points

magiques...

Le père Noël demeure

silencieux quelques

secondes, puis se

penche pour s'approcher

de l'oreille pointue de

Sacripain.

– Aie confiance, mon

petit Sacripain. Les

enfants sont parfois très

étonnants. Veux-tu venir

avec moi ? Tu pourras

rester chez les Langevin

pour les voir ouvrir leurs

cadeaux. Qu'en dis-tu ?

– C'est vrai ? Je peux ?

Je pensais que la règle

obligeait les lutins à

quitter les maisons le 24 décembre à minuit.

– On peut faire une petite entorse à la règle..., répond le père Noël avec un clin d'œil.

Chapitre 15

La surprise

Il fait encore noir lorsque les jumeaux ouvrent les yeux. L'excitation de Delphine est telle qu'il est surprenant qu'elle ait pu dormir. Nathan, pour sa part, est beaucoup

plus calme. Comme

il l'a si bien dit à sa

grand-maman, il n'a pas

beaucoup d'attentes.

Peut-être un ballon, un

paquet de cartes, ou un

petit jouet du genre...

– Nathan! Viens

voir! Viiiite!

Ça y est, sa sœur a dû recevoir sa fameuse tablette électronique. Normal, elle a tout fait pour l'obtenir. Nathan est content pour elle. Sans se presser, il descend les marches une à une. À son arrivée dans le salon, sa sœur, son père et sa mère le fixent en souriant.

Nathan se frotte les

yeux, il a du mal à croire

qu'il n'hallucine pas.

Devant l'arbre de Noël

se trouve un vrai filet de

hockey avec de beaux

poteaux rouge vif. Une

énorme boucle rouge

décore le filet blanc.

Dans le but, plusieurs
boîtes n'attendent que
d'être ouvertes.

– Allez, Nathan, ton
nom est écrit dessus !
C'est pour toi, tout ça !
lui dit sa sœur.

D'abord hésitant,
puis débordant de joie,
Nathan ouvre une à une

les boîtes emballées de

beau papier vert. C'est

ainsi qu'il découvre

une paire de jambières

de gardien de but, un

masque, une mitaine, un

bâton et l'équipement

de protection au

complet !

– Mais je ne l'ai pas mérité, pleurniche-t-il, étouffé par l'émotion.

– Il y a un message pour toi, ici.

Nathan saisit le papier blanc que Delphine lui tend et lit à travers ses larmes de joie.

Mon cher Nathan,

Tu peux remercier ton ami **Sacripain**, à qui tu as enseigné, sans même le savoir, le véritable esprit de Noël. Ton courage et ta générosité sont exemplaires. Tu mérites les cadeaux que tu désirais dans ton cœur, mais n'osais pas demander. J'espère que tu deviendras un grand gardien de but !

Joyeux Noël,

Père Noël

Un long moment,

toute la famille

Langevin s'extasie sur

les cadeaux de Nathan.

Monsieur Langevin y

va même de quelques

lancers frappés vers

Nathan, qui a revêtu son

équipement. Tout

le monde s'amuse, y

compris Delphine, qui

n'a pas encore déballé

son cadeau.

– Hé, c'est le tour de

Delphine ! dit Nathan

en retirant son masque

bleu, blanc et rouge.

La jeune fille sourit

lorsque sa mère lui tend

un présent enveloppé

d'un papier rose
et rouge.

– Allez, ouvre !
l'encourage son frère.
C'est sûrement ce que
tu souhaitais !

Delphine surprend son
frère en prenant tout
son temps pour retirer
l'emballage. Au bout

d'une longue minute,

la fillette dévoile enfin

la boîte d'une tablette

électronique à la fine

pointe de la technologie.

Elle sourit et la remet à

sa maman.

– Tu n'es pas

heureuse de ton cadeau,

Delphine ? lui

demande sa mère.

   Delphine sourit

encore, puis se lève

pour aller chercher son

manteau et ses bottes.

   – Qu'est-ce que tu

fais ? la questionne

son père.

La jeune fille se saisit de la boîte, qu'elle fait passer d'une main à l'autre sans cesser de sourire.

– Je vais la donner à Félix. Même avec ses lunettes, il voit mal au tableau blanc. Je me suis dit que s'il avait une tablette électronique, il aurait moins de difficulté à suivre ce que madame Sophie nous enseigne.

– Oh… Delphine, murmure sa mère, les larmes aux yeux. Comme c'est gentil !

Dans la cuisine, les

Langevin entendent

le long sanglot

mystérieux d'une voix

342 qui leur est inconnue,

accompagné d'un : «Que

c'est généreeeeeeux,

bouhouhouhou... Je suis

troooop émuuuuu!»

Malgré ses jambières
encombrantes qui
l'empêchent de courir,
Nathan est le premier
à arriver à la cuisine.
Le sanglot est encore
perceptible à son oreille.
Ça semble venir du
garde-manger. D'une
main tremblante, il
ouvre la porte.

Un souffle rapide frôle son visage. Au fond du garde-manger, il ne trouve qu'un sac de farine, un autre de sucre, et un crayon...

344

2ᵉ tirage
Achevé d'imprimer en juin 2016
sur les presses de l'imprimerie Norecob